the AMAZING SPIDER-MAN

KING'S RANSOM

WRITERS **NICK SPENCER**
WITH **ED BRISSON** (#68-69 &
GIANT-SIZE AMAZING SPIDER-MAN: CHAMELEON CONSPIRACY)

AMAZING SPIDER-MAN #61-62

ARTIST **PATRICK GLEASON**
COLOR ARTIST **EDGAR DELGADO**
COVER ART PATRICK GLEASON & EDGAR DELGADO

AMAZING SPIDER-MAN #63-65

ARTISTS **FEDERICO VICENTINI** WITH **FEDERICO SABBATINI** (#65)
COLOR ARTIST **ALEX SINCLAIR**
COVER ART MARK BAGLEY & JOHN DELL WITH EDGAR DELGADO (#63-64) & BRIAN REBER (#65)

GIANT-SIZE AMAZING SPIDER-MAN: KING'S RANSOM

ARTISTS **ROGÊ ANTÔNIO** WITH **CARLOS GÓMEZ & ZÉ CARLOS**
COLOR ARTIST **ALEX SINCLAIR**
COVER ART MARK BAGLEY, JOHN DELL & BRIAN REBER

AMAZING SPIDER-MAN #66

PENCILER **MARK BAGLEY**
INKER **JOHN DELL**
COLORIST **BRIAN REBER**
COVER ART MARK BAGLEY, JOHN DELL & BRIAN REBER

AMAZING SPIDER-MAN #67

PENCILERS **MARCELO FERREIRA** WITH **CARLOS GÓMEZ**
INKERS **WAYNE FAUCHER** WITH
MARCELO FERREIRA & CARLOS GÓMEZ
COLORISTS **MORRY HOLLOWELL** WITH ANDREW CROSSLEY
COVER ART MARK BAGLEY, JOHN DELL & BRIAN REBER

킨드레드가 피터의 삶을 송두리째 뒤집었다. 신 이터에게 죄를 '정화'당한 그린 고블린은 킨드레드의 정체가 자신의 아들 해리 오스본임을 드러냈다. 공포심으로 피터를 괴롭히던 해리는 노먼과 뉴욕 시장 킹핀이 놓은 다크포스 함정에 갇히고 말았다. 킨드레드가 제압되며 피터는 마침내 오스본 일가와의 다사다난한 일을 마무리하고 일상으로 돌아갔다.

현재 피터는 빌런 부메랑이었다가 갱생한 프레드 마이어스, 데일리 뷰글 로비 로버트슨의 아들 랜디 로버트슨, 그리고 라이프라인 석판 조각을 지키던 외계 반려동물 고그와 한 집에 살고 있다. 부메랑과 스파이더맨은 라이프라인 석판이 킹핀의 손에 들어가는 걸 막기 위해 고군분투하지만, 킹핀에겐 또 다른 계획이 있었는데….

AMAZING SPIDER-MAN #68-69

PENCILERS	**MARCELO FERREIRA, CARLOS GÓMEZ & ZÉ CARLOS**
INKERS	**WAYNE FAUCHER, CARLOS GÓMEZ & ZÉ CARLOS**
COLORISTS	**MORRY HOLLOWELL & ANDREW CROSSLEY** WITH **ERICK ARCINIEGA**
COVER ART	MARK BAGLEY, JOHN DELL & BRIAN REBER

GIANT-SIZE AMAZING SPIDER-MAN: CHAMELEON CONSPIRACY

ARTISTS	**MARCELO FERREIRA, CARLOS GÓMEZ, ZÉ CARLOS & IG GUARA**
INKERS	**WAYNE FAUCHER, CARLOS GÓMEZ, ZÉ CARLOS & IG GUARA**
COLORISTS	**ANDREW CROSSLEY, MORRY HOLLOWELL & RACHELLE ROSENBERG**
COVER ART	MARK BAGLEY, ANDREW HENNESSEY & BRIAN REBER

"SINISTER WAR PRELUDE"

PENCILER	MARK BAGLEY
INKER	ANDREW HENNESSY
COLOR ARTIST	BRIAN REBER
LETTERER	VC's JOE CARAMAGNA

ASSISTANT EDITOR	LINDSEY COHICK
EDITOR	NICK LOWE

SPIDER-MAN CREATED BY STAN LEE & STEVE DITKO

COLLECTION EDITOR JENNIFER GRÜNWALD
EDITOR, SPECIAL PROJECTS SARAH SINGER ✱ VP LICENSED PUBLISHING SVEN LARSEN
VP PRODUCTION & SPECIAL PROJECTS JEFF YOUNGQUIST ✱ MANAGER, LICENSED PUBLISHING JEREMY WEST
BOOK DESIGNERS ADAM DEL RE with JAY BOWEN
SVP PRINT, SALES & MARKETING DAVID GABRIEL ✱ EDITOR IN CHIEF C.B. CEBULSKI

어메이징 스파이더맨: 신즈 라이징 Vol. 3 - 왕의 몸값
초판 1쇄 인쇄일 2023년 3월 15일 | 초판 1쇄 발행일 2023년 3월 25일 | 지은이 닉 스펜서 | 그린이 패트릭 글리슨 · 페데리코 비센티니 · 마크 배글리 · 마르셀로 페헤이라 | 옮긴이 이용석 | 발행인 윤호권 | 사업총괄 정유한 | 편집 조영우 | 마케팅 정재영 | 발행처 (주)시공사 | 주소 서울 성동구 상원길 22, 7층(우편번호 04779) | 대표전화 02-3486-6877 | 팩스(주문) 02-585-1247 | 홈페이지 www.sigongsa.com 이 책의 출판권은 (주)시공사에 있습니다. 저작권법에 의해 한국 내에서 보호받는 저작물이므로 무단 전재와 무단 복제를 금합니다. 이 작품은 픽션입니다. 실제의 인물, 사건, 장소 등과는 전혀 관계가 없습니다. ISBN 979-11-6925-678-0 07840 ISBN 978-89-527-7352-4(세트) 시공사는 시공간을 넘는 무한한 콘텐츠 세상을 만듭니다. 시공사는 더 나은 내일을 함께 만들 여러분의 소중한 의견을 기다립니다. 잘못 만들어진 책은 구입하신 곳에서 바꾸어 드립니다.

© 2023 MARVEL

새로운 걸 시작해 보자!

좋아, 바로 본론을 말하자면…

…최근에 정말 힘든 일을 겪었어.

너무 어두웠던 시기라, 이겨 내기 위해 내가 사랑하는 사람들에게 의지해야 했지.

솔직히 이겨 낼 수 있을지 확답하지 못한 시기도 분명 있었어.

그러던 어느 날이었어. 한 은행이 털리고…

…범인인 슈퍼빌런 쇼커, 스피드 데몬, 하이드로맨이 도망치는 중이었지. 평소처럼…

직접 날 만나느라
시간 내 준 점. 정말
고맙게 생각한다.

다들 얼마나
바쁜진 잘 알아.

일거리가
넘쳐 나니까.
안 그런가?

나한테 맡기면 불평 하나 안 나올
거야, 피스크. 마지아는 지난 분기에
역대 최고 실적을 찍었거든.

흥. 불평이
안 나오겠지, 해머헤드.
내 구역을 그렇게나 빨리
먹어 치웠으니.

할 말 있나, 아울?
브루클린 레드훅에서
네 녀석 이름 달린 건
아무것도 안 보이던데.

단둘이서 얘기 좀
하는 게 좋겠군. 무슨 말을
하고 싶은지 아주
기쁜 마음으로—

부탁하는데,
둘 다 그만해
주겠나?

그렇게 사소한 일로
다툴 필요 없어.

나눠 가질 몫도
충분할뿐더러, 필요하다면
'공권력'의 중재와 심판으로
해결할 수 있는 문제니까.

흠… 킹핀,
굳이 나서지
않아도 돼.

좋아.

상황이 어떻게 됐는지 한번 봐.
이제 너희 구역 전부는 시 당국이
원하기만 하면 언제라도 통제, 정리,
결합할 수 있어.

이 윌슨 피스크가 시장이 되면서 너희가 각자 제국을 관리하기 아주 편해졌다고. 하지만…

…편의엔 반드시 대가가 따른다.

다들 뭐 하러 온 건지 아니까 연극처럼 뜸 들이지 않아도 돼, 킹핀.

그래, 원하는 게 뭔데?

좋은 질문이야, **크라임 마스터.**

내가 원하는 건 물건이 아니라 사람이다.

프레드 마이어스.

부메랑 말이야.

이 자식 진짜 싫어.

부메랑을 누구보다 싫어하는 건…

…바로
킹핀 본인이야.

그동안 부메랑이랑 내가
라이프라인 석판 조각을
모으고 다녔거든.

신비한 마법 덕분에 프레드한테 조각의
위치가 보이게 돼서 도움이 컸지.

숨겨진 조각 수가
줄어들수록 위치가
더 잘 보였어.

근데
최근 들어…

…이 보물찾기가
느려지고 있단 말이지.

진짜 대단하긴 한데… …뭘 노리는 거야?

불안정한 분자로 만들어서 쉽게 갈아입을 수 있긴 한데, 원래 슈트 입는 대로 한번 해 보자.

좋은 질문이네. 직접 보여 줄게.

야, 뭐 하는 거—

칭얼거리지 말고 있어. 딱 맞네.

이제 옆을 봐 봐.

어라… 내 시점으로 보이잖아!

바로 그거야. 이제 피터 파커가 스파이더맨이 된 거지.

이제부터 어떤 바보도 스파이더맨이 될 수 있다, 이 말씀이야.

내장 카메라 덕분에 모바일 기기, 데스크톱, VR 기기로 몰입형 고차원 상호 작용이 지원되는 슈퍼히어로 체험을 할 수 있는 거지.

한번 상상해 봐. 스파이디가 나타나면 너도 그 자리에 있는 거야. 보는 것, 듣는 것을 공유하고 스파이디랑 같은 액션극을 경험할 수 있다고.

노라, 스파이더맨은 재미로 활동하는 게 아니야. 생명을 구하는 거지, 게임이 아니란 말이야.

우리도 게임이 아니라 언론 일을 하는 거야. 대중에게 다른 사람의 생명을 구하는 이가 어떤 세상을 보는지 직접 경험할 수 있게 해 주는 거라고.

스파이디야말로 히어로라는 걸 세상에 보여 주자.

어떤 것 같아, 파커?

대단하지?

대단하긴 한데….

위험하다고 하는 게 더 좋겠네요.

스파이더맨이 생방송을 할 수는 없어요…. 스파이더맨한테도 꼭 지켜야 할 민감한 비밀이 있으니까요.

그래서 지연 시간을 좀 줄 거야. 그리고 스파이디가 원할 때만 켜는 거지. 촬영된 영상은 사설 보안 서버에 업로드되고, 확인할 수 있는 사람도 너랑…

…나밖에 없어! 드디어 이 몸이 제대로 된 일을 맡는 거야.

파커, 계획부터 진행까지 스파이더맨의 비밀을 지키는 걸 최우선으로 했으니까 걱정 안 해도 돼.

글쎄요, 조나… 그래도 리스크가 상당해 보이는데요.

약간… 기회주의적인 심보도 없진 않아 보이고요.

대단한 기회가 맞아! 저번 팟캐스트가 바로 그 증거지! 세상은 아직도 스파이더맨의 참모습을 보고 싶어 한다고!

그 점을 이용해도 나쁠 거 없잖아. 생각해 봐.

이거랑 데일리 뷰글에 스파이더맨 사진 파는 거랑 뭐가 그렇게 다른데?

큰 차이가 하나 있긴 하죠.

금액이 다르다는 거. 이만큼 줄게.

슈트도 스파이더맨 거라고 전해.

물론 싫어하는
사람들도 있고.

이게
저널리즘이라고?

저널리즘이든 아니든, 열기가
대단해요. 우리 구독자, 판매 부수는
다 떨어지고 있고, 광고주들은
'위협과 공포'에 줄 서느라
정신이 없어요.

스파이디 스트리밍 중간 광고에
경매를 붙였는데, 최소 금액이
백만 달러였다는 소문도 있어요.

ㅋ하아ㅋ
조나는 변하질
않는군.

다들 광대놀음에
관심 주지
말자고.

우리 역할은
화려한 쇼가 아니라
본질 그대로 냉철하게
전달하는 탐사 보도야.

예를 들면
툼스톤이라 알려진
로니 톰슨 링컨에 관한
폭로라든가.

툼스톤이 합법 사업과 업타운 전역에
걸친 부동산 개발에 돈을 투자해서
자기 제국을 만들고 있다는 건
알려진 사실이지.

좀 더 파헤쳐 보자고.
다들 조사한 자료 얘기해 봐.
글로리?

상당히
괜찮은 정보를
입수했어요.

툼스톤의 딸이자 비틀로 알려진 재니스 링컨이…

…신디케이트라는 여성 갱단을 조직했대요.

재밌군. 무슨 속셈이 있는 건가?

툼스톤이 합법적인 일을 모두 맡는 동안 범죄 사업을 다 물려받으려는 걸지도 모르죠.

가족 사업이라, 범죄 영화 같군. 아주 좋아, 맘에 들어! 취재진 붙이고, 다음 주에 계속 얘기하지.

그럼 나는 잠깐 실례할게.

나도 가족끼리 할 얘기가 있거든.

아들!

아빠, 스케줄 조정하셔야 하는 거 아니죠?

전혀 문제없다.

유명 인사 랜디 로버트슨 님과 점심 식사를 놓칠 순 없잖니? 그런 분이 스케줄 조정해서 아주 오랜만에 시간을 내 주셨는데, 절대 빠지면 안 되지.

우리 아들, 요즘 바쁜 티를 너무 팍팍 낸단 말이야.

왜 바쁜지…

…말씀드릴 참이었어요.

무슨 일을
해야 할지 다들 알고 있군.
부메랑을 데려와.

그거야 쉬운데,
먼저 말해 둘 게
있다, 피스크.

오해하진
말고 들어.

부메랑 목이야
그냥 따 버릴 수 있지만,
공짜론 안 해. 나한테
무슨 이득이 있지?

당연히 공짜는
아니야, 실버메인.

이건 '무료 석방권'이다.
보드게임에서 많이들
봤겠지.

하지만 이건
게임용이 아니라
'진짜'야.

누구든
프레드 마이어스를
대령하면 이걸
주겠다.

내가 시장인 동안엔
본인과 조직원 모두가 체포,
취조, 투옥 등 경찰한테서
완전히 자유로워진다는
뜻이지.

이게 너희 구역에
어떤 영향을 미칠지 생각해 봐.
'법의 굴레를 벗어난다.' 이보다
좋은 조건이 있을까?

엄청난
제안이군,
피스크.

#61 VARIANT BY
JULIAN TOTINO TEDESCO

#61 TWO-TONE VARIANT BY
MICHAEL CHO

#62 VARIANT BY
DUSTIN WEAVER

62

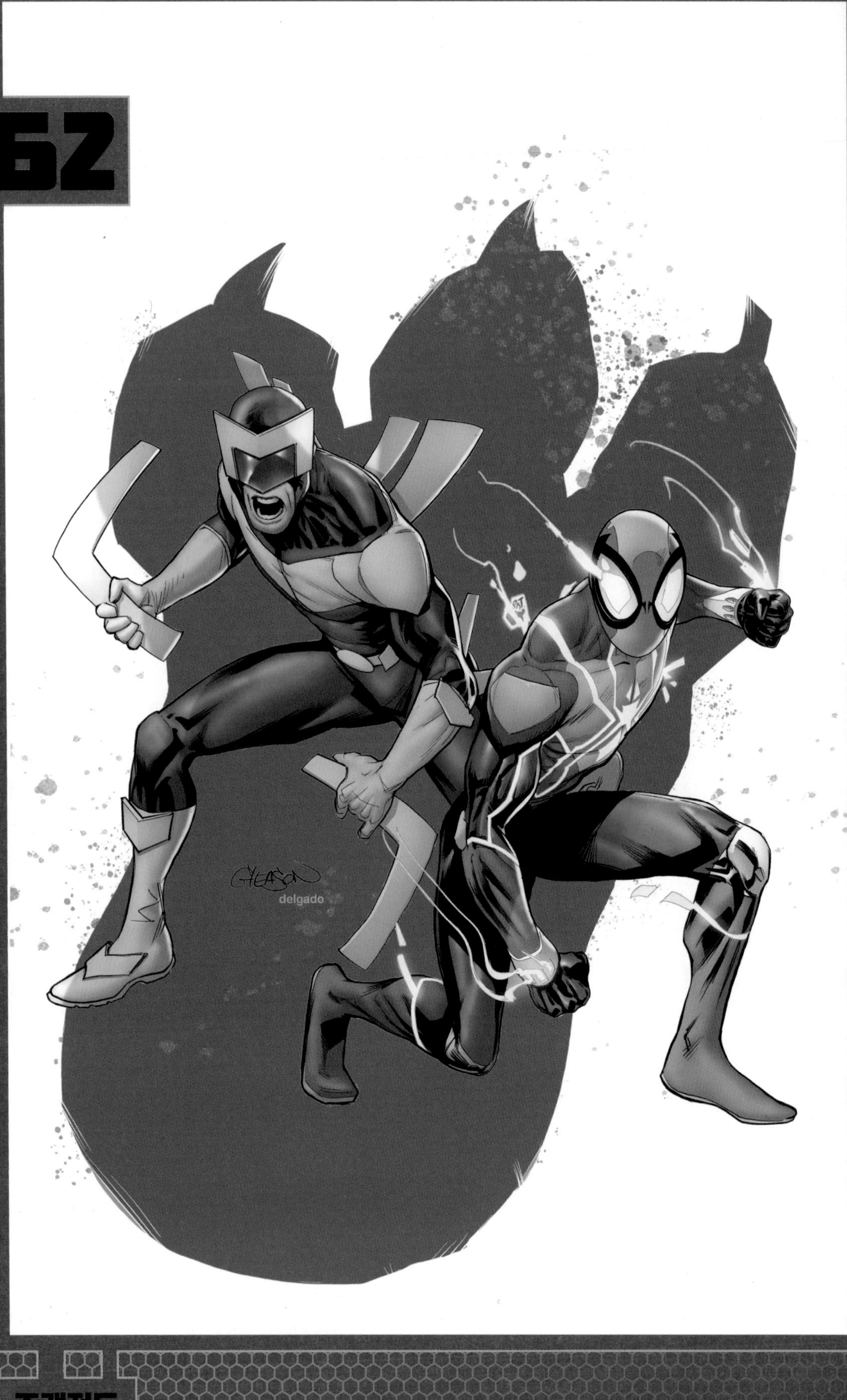

주객전도

"...놈에게 소중한 걸 치는 거야."

너희만 좋으면 같이 산책해도 되는데—

부메랑!

두 손 들어!

안녕, 척, 대니. 오랜만이네.

손 들라고 했다!

나도 그러고 싶은데 우리 애기 목줄을 쥐고 있거든. 그리고 저쪽에 얘가 실례를 한 모양이야…. 손 들면 못 치울 텐데, 그럼 벌금 아니야?

널 체포한다!

당장 땅에 엎드려!

매번, 참. 고그, 얌전히 있어.

크르르르릉…

고그, 사고 치지 말고….

말만 해, 보스.

도저히 웃음을 못 참겠구나.

아빠, 전 진지해요….

미안하다, 아들. 그냥 네 연애사는 매번 들어도 놀라워서 그래. 어디서 그런 여자들은 만나는 거니?

이번엔 정말 특별한 뭔가가 있는 줄 알았어요.

그래, 네 자전거 바퀴를 펑크 냈다는 얘기 전까진 같은 생각이었다.

그냥 좀… 욱하는 성격이라 그래요.

넌 성격이 불같은 사람을 좋아하는 편이었지.

아빠가 조언을 하자면… 기회를 한 번 더 주는 게 좋겠구나.

정말요?

그럼. 이번엔 미련이 정말 단단히 남아 보이거든. 진정한 사랑이라도 뜨겁다가 확 식을 수 있는 법이란다. 그리고 넌 조심성 길러 줄 사람을 만나야 해.

로비!

아빠도 재밌는 얘기 좀 들을 수 있을 거고.

로비 로버트슨! 여기서 보는구만!

조나….

진작 들르는 건데! 여기가 우리 모임 장소였잖아.

뷰글 직원 모임을 여기로 오긴 하죠.

아무튼, 이렇게 만나니 다행이야. 지금까지 있던 대박 소식을 전하고 싶었거든. 스파이더맨 소식 들었지?

아, 네. 들었죠….

대박이라니까, 로비. 내 아이디어 중 최고야! 랜디, 너도 참 오랜만이구나.

네, 제이머슨 씨.

너희 아버지가 위협과 공포를 푼돈으로 살 수도 있었단다. 그런데 지금 좀 봐라! 이야, 완전 죽 쒔다는 표정 아니냐!

그 비슷한 생각 중이긴 합니다.

근데 난 놀릴 생각 전혀 없어. 아니, 조금 있긴 하다. 아무튼, 파트너십 얘기를 하고 싶어서 말이야. 젊은이들이 우리 웹사이트에 정말 많이 들어와. 신문이 뭔지도 모르는 애들이지.

그래서 말인데, 팝업 광고로 뷰글 기사를 조금 잘라다가 띄우면 어떨까 해.

어때?

너희 아빠도 팝업은 아시겠지, 랜디?

압니다, 조나.

근데 그리 좋은 생각이 아닌 것 같군요.

잠깐만... 뭐라고?

당신이 잘 풀려서 기쁘긴 해요. 드디어 우리 사회가 당신... 감수성을 따라잡은 것 같군요.

하지만 데일리 뷰글에선 그런 걸 다루지 않습니다.

그런 거라니? 판매 부수 올리는 거? 요즘 하는 꼴 보면 맞는 말 같긴 해.

조나, 무례하게 나오실 필요는 없잖습니까—

무례?! 뭐가 무례한 줄 알아? 네가 항상 나보다 더 나은 것처럼 구는 게 무례한 거야!

전 그런 적—

없다고? 무슨 생각 하는지 다 알아. 로비 로버트슨, 저널리스트 중의 저널리스트. 추문이나 캐고 다니는 제이머슨을 항상 무시하지.

질투심만 많아 가지고!

내 최신 미디어 플랫폼이 너희 구닥다리 쥬라기 시대 신문을 이겼다는 걸 못 받아들이고 있어!

난 대중이 원하는 걸 보여 줄 뿐이야, 로버트슨!

와, 전혀 변하질 않네요.

그렇지, 안 변해.

잔뜩 화가 나면
무모해지는
녀석이지.

죄책감 때문에
혼자 나설 거고.

어떻게 함정에
빠지는지는 네가
잘 알겠지,
악마 놈아?

그래… 항상
대비책이란 게
있기 마련이야.

내가 원하는 걸
얻는 방법 말이지. 석판이
내 손에 떨어지면 네 녀석이
후회할지 아닐지
궁금하군….

"날
비웃으며…"

"…애원하게
만든 것을."

이젠 너무 늦었어.

기억해라, 부메랑이
죽는 순간…

"...네놈도 끝이다."

자, 쇼를 시작해 보실까!

제임스, 3번가, 바워리 대로로 빨리!

뭔 일인가요, 보스?

사업이랑 즐거움을 동시에 챙길 수 있는 일.

부메랑한테 룸메이트가 있거든. 그중에 피터 파커라는 녀석은 피스크 절대 손대지 말라고 그러데?

근데 다른 놈은 아무 얘기도 안 했어.

거기다 좀 낮엣가시 같은 놈이더라고….

"로비 로버트슨."

점심 잘 드셨나요?

말도 아니었어. JJJ를 만났거든. 그 인간…

…됐다. 열 받아 봐야 내가 손해지.

그렇죠.

우리 일이나 잘해서 큰 건 하나 터뜨리자고.

그거라면 좋은 소식이 있어요.

로비 씨 아이디어대로 프리랜서 사진가 하나를 비틀 쪽에 붙였거든요.

벌써 뭐 나온 게 있어?

로어 이스트 사이드 쪽 어느 건물 옥상에서요.

중범죄 여러 개를 저지르는 거면 좋겠군.

공연음란죄뿐이네요. 남자 친구랑 만나는 것 같아요.

흠. 남자 쪽도 뭔가 있을 거야. 사진 확인했어?

먼저 보시라고 아직 안 봤어요.

고마워, 글로리.

어디 한번 볼까….

도착
했습니다.

쓰레기장?
흠.

놈들 집이 꼭대기랬지?
화재 탈출용 사다리로
올라가서 천장 창문으로
들어가자.

부메랑이
나타날 때까지
로버트슨을 인질로
잡는 거야.

부메랑을 잡은 후에
로버트슨은 그 아비 놈이
질질 짜게 죽여 버린다.

그리고 킹핀한테
보상을 챙기는 거지.
이 구역은 내 거야.

엄밀히
따지면…

…나눠 가져야지.
소중한…

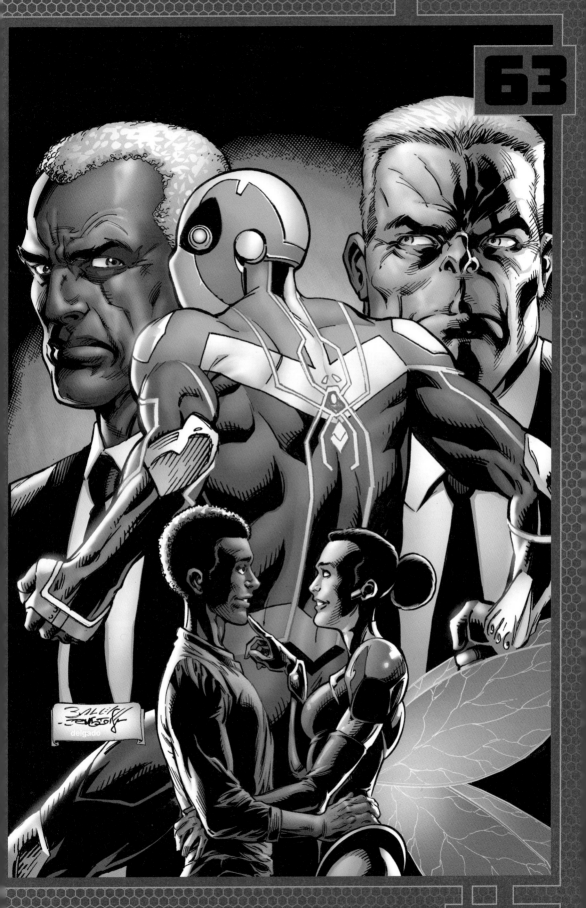

...생각보다 아주
흔한 소재야.

이럴
리가...

...이럴 리가
없다....

보스,
괜찮으세요?
어째 모습이...

...헛것이라도
보셨나요?

이게
진짜일 리
없어.

아뇨....

글로리, 나 말고
이 사진 본 사람
있어?

잘됐군. 그대로 둬.
사진사한테도 내가 괜찮다고
할 때까지 사진 그대로 갖고
있으라고 하고.

네... 알았어요,
로비. 근데 어디
가시는데요?

당장
뜬다.

그래,
이 두 사람
사이엔...

아주
깊은 악연.

살면서 들어 본 얘기 중에 제일 로맨틱하네.

엉망진창이다, 진짜.

아무튼, 조언을 해 달라는 거지?

당장 헤어져.

뭐?

헤어지라고. 그런 남자랑은 끝이 다 똑같거든.

저기, 따지자면 재니스가 범죄자이기는 한데…

…그렇지 않기도 하다고. 요즘 세상엔 합법과 불법 사이가 흐릿하잖아. 재니스는 참신하고, 웬만하면 폭력을 쓰지 않는 쪽으로 그 틈을 써먹을 뿐—

하, 재니스가 말했을 땐 그럴싸하게 들렸는데. 둘이 만나 본 적 없지? 어쨌든 간에…

…잘 안 풀릴 거야.

맨날 너 갱생시키려 들걸?

…내가 조금 거들면 갱생할 수 있을 거야.

왜, 방금 우리 얘기한 대로 말했다고.

랜디, 난 그런 말 안 했어.

설명했잖아. 요즘엔 합법과 불법 사이가 흐릿해서 그 틈을 써먹을 뿐이라니까—

에베베베, 안 들린다, 안 본다—

어이없어.

갑자기 어디 가는데?!

너 없는 곳으로. 그럼 너만 손해겠지?

막 은행 털고 온 사람이랑 그런 대화 못 하게 되니까!

뭐야, 은행을 털었다고?

아무도 안 다치게 했어! 틈이 있다고 했잖아!

어떻게 그럴 수가… 아빠 말이 맞았어. 넌 절대 못 변해.

내 친구들 말도 틀린 게 없네. 넌 날 있는 그대로 받아들이길 않아.

넌 범죄자잖아!

지는 사회복지사면서! 난 네 단점 가지고 뭐라고 안 하는데 넌 왜 그래?

됐어. 아무래도 우린—

조용히 손 들고 따라와야겠지?

…그럴싸한 계획은 있다.
치맞기 전까지는.

한 조각
더 남았네.

물론 킹핀이
가진 조각은 다 빼고
계산한 거지만.

프레드, 말했잖아.
그건 나…랑
스파이더맨한테
맡기라니까.

마지막 조각이
어디 있는지 떠오르면
그냥 나한테 알려 주기만 해.
아직 별 신호 없지?

전혀. 그나저나
완성되면 진짜
멋지겠지?

영웅이
될 수 있어서
말이야.

나도
인정하는데…

그렇겠지.

하, 인정해야겠다.
드디어 옳은 일을 하게
되니 기분이 좋아.

…이런 건
예상도 못 했어.

…할 얘기가 있거든.

그놈이다!

그놈들이야!

너네가 생각하는 그런 거 아니야!

…다들 각자 자기만의 작은 지옥에 빠져 있단 걸 알게 되겠지.

안 돼. 이럴 순 없어….

재니스. 우리 딸… 이 자식들. 무슨 짓을—

너!

툼스톤! 네가 배후일 줄 다 알았다—

로버트슨?

내 아들 어디 있어, 이 괴물 자식아?!

맹세하는데, 내 아들 털끝이라도 건드렸으면—

탓할 사람이 필요하면 나를 탓하세요. 내 전담 업무 같으니까.

스파이더맨! 여기서 뭐 하는 거냐?!

나? 여기 사는— 순찰 중이었어. 습격이 끝났을 때 막 도착했는데, 덕분에 두 사람 한테 좋은 소식을 입수했지.

랜디랑 재니스는 무사해. 적어도 마지막으로 봤을 땐 그랬어. 범인이 누군진 몰라도 시간이 많지 않아.

그러니까 꽁알꽁알 시간 낭비는 그만들 합시다. 아시겠죠?

나도 깊은 원한이 있다는 걸 잘 알긴 하거든. 툼스톤, 평소 같으면 지금 벌써 펀치 열일곱 번은 날렸어.

THUP

그리고 로비 당신, 제가 평소에 정말 존경하거든요? 근데 지금 그게 중요한 게 아니잖아요. 위험에 빠진 사람들이 있다는 게 중요하죠.

우리가 힘을 합치면 구할 수 있어요. 그럼 일단…

…이 짓을 한 게 누군지 찾는 것부터 도와주시죠.

뭔 짓을 했냐면…

굳이 말하자면 너희 둘 덕분에 예상에도 없던 큰돈을 벌게 생겼거든.

당신들 운 더럽게 없네. 난 프레드랑 피트가 하는 석판 찾기에 관해서 전혀 아는 게 없다고.

석판 같은 건 관심 없어.

석판 때문이 아니라고?

아까 너희 친구 부메랑을 놓쳤는데도 별 신경 안 쓰는 거 안 보이나?

킹핀이 주는 포상 자체가 아니라, 거기서 생길 혼돈을 노리는 거야.

와, 더 알려 줘 봐요.

이러면 몸이 성할 수 없을 텐데!

아니, 이번이 멀쩡히 이득 볼 유일한 기회야. 피스크 시장은 너무 타이트하단 말이지. 지하 범죄 세계에서 구역 다툼도, 권력 싸움도 용납되지 않아.

그러면 나같이 대성할 사람한테는 문제가 돼.

나처럼 가문 주요 재산이 웨스트 코스트 쪽에 몰린 사람도 곤란하지.

하지만 이제 킹핀이 모든 녀석을 추적에 내몰았으니 경쟁 말고는 남은 게 없어졌어.

이렇게 되면 피 튀기는 싸움도 어느 정도 눈감아 줄 거란 말이야.

예시를 들어 볼까? 우리가 마이어스의 룸메이트와 그 여자 친구를 납치했어. 근데 마침 그게 툼스톤의 딸이었고...

...툼스톤 본인이 잔뜩 빡쳐서 쳐들어오는 거야.

그 후에 오해 때문에 폭력 사태가 터져도 우리 탓을 할 순 없겠지? 우린 그저 만인이 사랑하는 시장님의 명령을 따랐을 뿐이니까.

그다음, 125번가 너머 링컨이 지배하는 구역은 당연히 우리가 먹고 매끄럽게 굴릴 거야.

우린 팀워크 빼면 시체라고.

툼스톤한테는 안 좋은 소식이지.

그리고 이쪽 아버님인 신문사 사장님께서도 죽어 버리면?

우리 노고를 더 우호적으로 봐 줄 새 사장이 등장하겠네.

딴지 걸려는 건 아닌데... 좋은 계획이지만 빈틈이 있거든요.

그래, 우리가 어디 있는지 아빠들이 모르잖아.

탐사 보도 전문 기자랑 기운 팔팔한 조폭 두목이잖아?

두 인간이 머리통 맞대면 절대 못 찾을 리 없지.

흠. 그 두 사람이 머리를 맞댄다니.

그게 제일 어려운 숙제인데 그거부터 했어야지.

잘못 온 건가?

아냐, 제대로
온 게 맞아.

근데…

…프레드가 없어.

아까 기절했을 때,
분명 여기 데려다 놨는데.
감쪽같이 사라져 버리…

스파이더센스 없이도
전혀 좋은 징조가 아니란 건
분명히 알겠어.

…진 않았네.

그래, 아무것도
없는 것보다는 낫지.
근데 왜…?

피트에게.

사람은 쉽게 변하지 않아.
대부분은 자기 자신 그대로 씁쓸한 인생의 끝을 맞이하지.
크아아아아아아아악!
정말 듣기 좋지 않나, 원장?
하지만 흔치 않게 정반대의 길을 걷게 되며…
…계시가 내려오곤 해.
아버지… 제발….
그 뒤에 오는 건 선택의 순간.
구원을 받아들일 것인가…
당장 멈춰!

…승리했다고
했던가?

안 죽어서 다행일 줄 알았는데,
기분이 착잡하구만.

눈 안 버리게 다
끝나면 말해라.

그럼 이게 다 인터넷에 방송
됐다는 건가? 영 좋지 않은데.

그렇게 됐네요,
미안해요, 로비.

사과 안 해도 돼,
스파이디. 나도 조나가
너한테 이런 짓을
수없이 저지르는 걸
방치했었으니까.

근데 조언 하나
하자면… 조심하는 게
좋을 거야.

조나 옆에 있으면
무슨 일이 벌어질지
예상도 안 되거든.

우리
동거하기로 했어!

GIANT-SIZE AMAZING SPIDER-MAN: KING'S RANSOM VARIANT BY DAVID BALDEÓN & ISRAEL SILVA

그다음에 남은 일은 지켜보며 기다리는 것뿐이었지.

하지만 불행히도 현장에 나오는 건 우리 편만이 아니었어.

시장님, 현장에 굉장히 많은 조직 폭력배가 있다고 보고 받았습니다. 위험한 작전이에요.

캐리 박사, 우리 쪽에 합류한 지 얼마 안 되었으니 이번엔 눈감아 주겠어. 대신 앞으로는 당신 분야인 고대 레무리안 기술에만 신경 쓰도록.

공공 안전은 내가 책임져.

알겠습니다. 다만…

큰 싸움이 일어날 장소로 석판 조각을 이송하는 건…

…너무 위험한 발상이어서요.

맞아. 근데 나도 한 위험 하거든.

"킹핀을 막아야 해요."

너랑 제일 친하다는 그 윌슨 피스크 말이지?

과 파트너십을 맺으면서 말입니다!

짝 짝 짝 짝

보시다시피 시청자 증가 폭은 유례없을 정도로 대단합니다. 거기다…

…경쟁사를 박살 냈지요!

함께 외쳐 주세요…

신문은! 죽었다!

하지만 J. 조나 제이머슨 사전에 안주란 없습니다!

눈물 나는 열정 페이로 뭉친 우리 겁 없는 신생 미디어 직원들과 제가 오늘 여러분께 특별한 소식을 전하려고 합니다.

지금까지 생중계로 짜릿한 스파이더맨의 모험을 즐기셨죠?

움직임 하나하나에 좋아요, 댓글, 리포스트 까지 하면서 말입니다!

내가
있잖아.

이런 것도 제대로
못 하다니, 이럴 수가.

프레드, 진정해.
너무 자책하지
말라고.

네가 뭘 알아? 넌
항상 세계 최고 히어로로
였잖아. 평생 그런 히어로가
되려고 준비했으면서.

근데 난? 소중한 사람들을
위험에 빠뜨리는 것 말곤
할 줄 아는 게 없어.

잘못된 걸 바로잡으려 할수록
더 망치고 있다고.

아무리 애를 써도
이뤄지지 않아.

⊰하아⊱

무슨 기분인지
나도 잘 알아,
프레드.

네가?

그럼. 나도 소중한 사람을
잃어 봤고, 셀 수도 없이 많이
잃을 뻔했어. 대부분은
이 코스튬 때문이지.

그래서 난 스스로
원망하며 다른 사람과 거리를
두려고 했어. 근데…

…세상 누구도
그렇게 살 순
없더라.

사람은 혼자일 수
없어. 그럴 거면 뭐 하러
이렇게 살겠어?

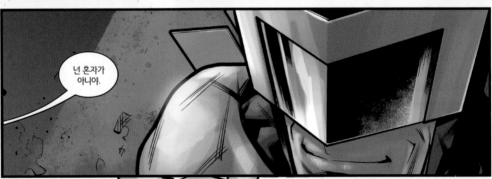

넌 혼자가
아니야.

그놈 말이
맞아.

…최근 들어 내가 히어로가 맞는지 의문이 들었다.

킨드레드. 해리 때문에 내가 스파이더맨으로서 누군가를 구한 것보다 상처를 준 적이 더 많다는 걸 다시금 알게 됐기 때문이다. 적어도 내가 사랑하는 사람들에겐 그랬다.

분노에 자제력을 잃고…

머릿속에 들려오는 목소리를 듣지 않은 채로…

그렇지, 잘한다!

조나!

모르겠어? 제대로 된 기회라고!

지금까지 오랫동안 사람들은 널 위협, 공포, 범죄자라고 불렀잖아!

당신이 그런 거죠!

근데 이제 그걸 반증할 기회가 왔어!

이 세상에 스파이더맨이 히어로라는 사실을 제대로 보여 주자고!

아니.

그렇지 않아.

아니…

…다가 아니었네.

스피드 데몬. 얘가 어떻게 풀려 난 거야?

쇼커까지!

프레드도 사라졌다?

어이! 이럴 필요까진 없었잖아! 그냥 쪽팔리게 목숨 붙여 놓을 수 있었는데!

당신... 날 속였어!

그래요, 그랬습니다. 근데 영감님을 지진 건 제가 아니에요! 복수할 거면 제대로 잘 아셔야 해요!

헤, 당한 건 당신이야...

마지막 조각을 적어 넣을 때, 다른 주문을 하나 더 외웠지.

진실하고 남을 위할 줄 아는 영웅만이 마지막 조각을 집을 수 있어. 그렇지 않은 자는...

...반드시 죽는다.

그리고 나서 피스크와 나 사이 협상엔 대혼란이 찾아왔어.

그래, 보상 얘기를 하자면 서로 의견 차이가 좀 있었어. 근데 중요한 건 그게 아니라...

거래했잖아, 마이어스!

...확실히 죽지 않을 방법이 필요했거든.

그 말은 마지막 석판을 얻을 때, 도움을 받아야 한다는 뜻이었지. 그것도...

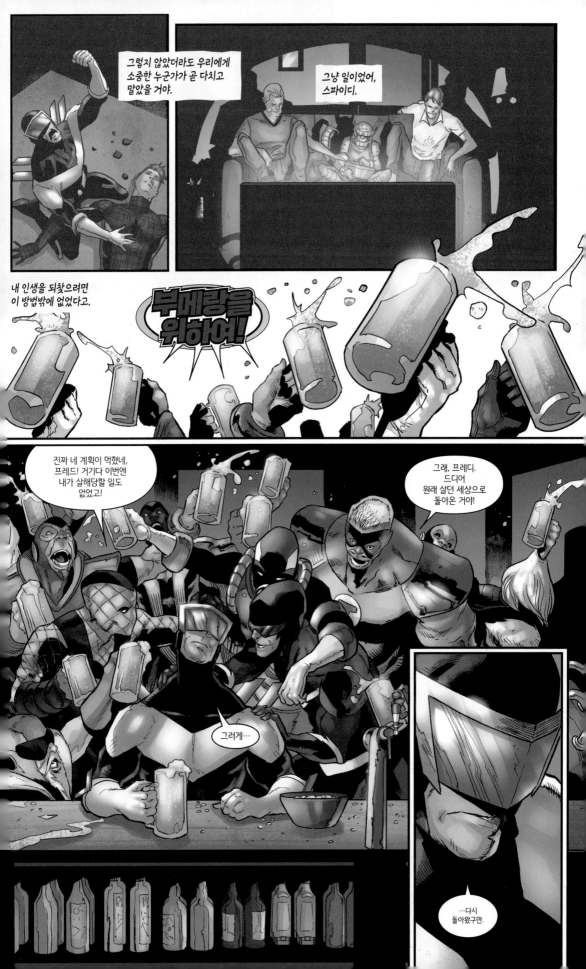

내가 원한 건 단 하나,
당신과 다시 만나는 거였어,
바네사.

당신을 잃은 고통…
거기다 죽음의 순간에
같이 있어 주지도
못하고…

…작별
인사조차
못 했지.

"그렇기에
난 무릎을 꿇었어."

긴 세월, 당신을
살리기 위해 어떤
방법이든 닥치는 대로
찾다가…

…마침내 악마
킨드레드라는 이름을 알게
되었을 때, 난 답을 찾았다
생각했어.

안 돼.

그런데 그때까지
썼던 모든 방법과
같은 대답이 돌아오더군.

난 분노했어.
사실을 받아들일 수
없었지.

하지만 악마 놈이
이어서 뱉은 말이
모든 걸 뒤틀었어.

대체 무슨 근거로 바네사가 널 다시 만나고 싶어 한다 생각하는 거지?

그 말이…

…옳다는 걸 깨달았어.

불가능을 이룰 수 있어도… 누군가를 되살릴 수 있어도… 당신은 날 절대 용서하지 않을 거야.

당신을 선택 했다는 이유로.

바네사, 당신을 보내 줄게. 난 남은 인생을 살아갈게.

하지만 그러기 위해선 당신이 편안히 잠들었는지 알아야 해.

당신은 마음이 산산조각 나서 죽었으니까. 당신이 날 향한 의리와 사랑으로 저지른 일 때문에.

*"세상 그 어느 어머니라도 하지 않을 그 일 때문에."

*「데어데블 얼티밋 컬렉션」 BOOK 1 참조!

"오늘 그 일을 바로잡을 거야."

"당신에게 너무나 큰 고통을 안기고, 우리 가족을 산산조각 냈던 그 모든 잘못을 오늘 속죄하겠어."

"내 이기적인 욕심을 채우는 대신 당신이 죽도록 바랐던 소원을 이루겠어."

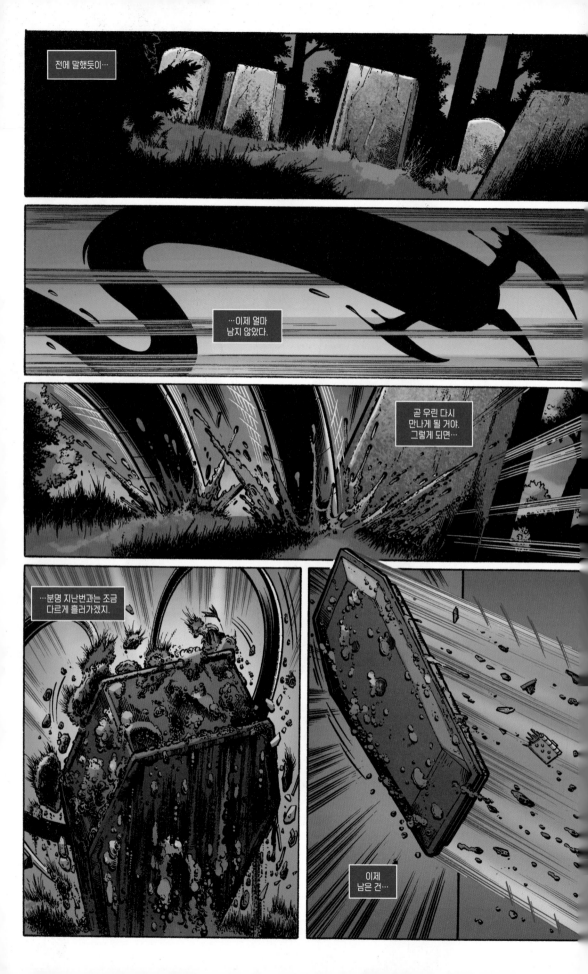

아냐…
이럴 리가
없어!

지난 몇 달 동안 기억
틈틈이 있던 그림자가 뭔지
답을 찾아 헤매다…

…여기까지
왔는데.

또 단서가
끊기다니!

진정해,
박사.

곧 답을
알게 해
줄게.

누구냐?
이리 나와!

나도 그러고 싶어,
오토. 하지만
지금 당장은…

…머릿속 소리가
새어 나왔다고
생각하라고.

66

뒤엉킨 거미줄

"킹핀은
원하는 걸 손에
넣었거든."

이번엔 정말 다를
거다, 리처드….

모든 게
다를 거야.

정말 듣기 좋은 소리야.

실례합니다, 어르신. 필요하신 거라도 있으신가요? 한 잔 더 드려요?

어디 아프시진 않고요? 어르신이 들으시기엔 음악이 너무 시끄러울 텐데요.

누가 여기에 처음 널 데리고 왔는지 잊지 마라, 아들. 민튼즈는 문화 그 자체야. 네 할아버지가 유명한 음악가를 보여 주려고 날 여기까지 데려오셨지.

안락한 곳이야. 내가 태어나기 전에도 있었고, 죽은 후에도 이 자리에 있겠지.

많은 게 바뀐다 해도 말이야.

계산은 저희가 하게 해 주세요. 구조 작전까지 펼쳐 주셨는데 그 정돈 해야죠.

됐구나, 이건 아빠가 사마. 사과로 생각해 주렴.

네? 제가 잘못 들은 것 같은데…

제대로 들었다.

내가 품은 원한, 과거에 사로잡혀서…

…네 인생에
훼방을 놓았어.

네 인생은 네가 살며
알아 가고, 무엇이 옳고 그른지
직접 확인해야 하는 건데.
한 가지 분명한 건 말이다.

네가 나보단 나은 정답을
찾을 거란 점이야.

아빠….

연주 시작하겠다.
데이트해야지…

…여자 친구가
가게 털기 전에.

사랑해요,
아빠.

나도
사랑한다, 아들.

로니, 여기서 볼 줄 몰랐군.

장난치냐? 여길 얼마나 좋아하는데.

단골 가게 말고도 요즘은 우리 공통점이 많이 생긴 것 같군.

서로 분명히 알아는 두자고. 우린 동료가 아니야. 널 감방에 넣을 기회가 생기면 바로 써먹겠어.

마찬가지. 그럴 기미가 보이면 목을 분질러 버릴 테다.

그렇지만 아이들 문제라면…

그래, 애들 문제라면…

휴전이야.

오버드라이브… 맞죠? 잡지에 나오고 싶어서 이러는 거라면—

그런 게 아니라 중요한 문제 때문이에요. 우리 둘 다 아는 친구…

"…칼리 쿠퍼 말이죠."

어라, 칼리를 알아요? 걔한테 무슨 짓을 한 거예요!

아무 짓 안 했어요! 그래서 MJ 씨를 보러 온 거예요. 칼리랑 친구니까.

네, 친구죠. 당신은 칼리랑 무슨 관계인데요?

아, 그게… 제가 최근에 골치 아픈 일을 겪었거든요. 그때 칼리가… 제 곁에 있어 줬어요. 그래서… 그때 뭔가 느낌이 왔다고 해야 하나.

칼리가 갑자기 사라지기 전에 어쩌면 관계가 좀 진전—

느낌 알겠네요.

근데 갑자기 칼리가 흔적도 없이 사라진 거군요.

믿기세요? 전 안 믿습니다.

나름대로 이게 무슨 일인지 알아보려는 중인데, 지금 제 법적 상태가 좀 좋지 않아서요. 그래서 혹시 MJ 씨가…

…알 것 같았다고요?

지금까지 모든 일은 이 순간을 위한 거였어요.

아빠의 죄를 정화해야 모든 걸 제대로 볼 수 있으니까요.

이제 잘 보이시겠죠.

분노와 잔혹함 밑에 숨어 있는 아빠의 본모습은…

망가지고…

…겁에 질려…

…무방비하다는 것을.

위협과 공포
사무실

…누가 스파이더맨
좀 나오게 해 봐!

계약서를 좀 더 유리하게 쓰자고 그렇게
우겼는데, 스파이디 쪽에서 언제든지
묻지도 따지지도 않고 영상을 끊을 수
있어야 한다며 가슴 따뜻한 조항을
넣은 건 당신이에요.

근데…
왜 끊은 거지?

따지지 않기로
했잖아요.

마지막으로
말하는데…

조나, 말했잖아요.
안 된다니까요. 그쪽에서
영상을 끊었어요.

어떻게
그럴 수 있어?!

다 자길
생각해서 그런 건데!

나한텐 모든 걸
바로잡을 기회였어!
그 녀석이 영웅이란 걸
보일 기회였다고!

이렇게 나온다면
이쪽도 어쩔 수 없지.

J. 조나
제이머슨은
나만의 히어로를
구한다!

좋은 소리 같진 않지.

하긴 조나가 끼면
뭔들 좋게 들리겠어?

일하면서 조나한테 받은 돈은…
다운타운 쪽 '어떤 보호 센터'에 아주
큰 사고가 있었다고 하더라고.

익명 기부가
큰 도움이 되겠지.

자취방 벽
고칠 돈은 조금
남겨야 했나?

그렇지만 이제 같이 살
룸메이트가 없네.

하나는
탈주했고…

…하나는 사랑에
빠졌으니.

같이 사는 동안
재밌긴 했어.

67

베티 브랜트.

베티는 내 첫 여자 친구였다.

그 당시엔 데일리 뷰글 최고의 기자였고.

근데… 지금은… 지금은—

베티, 너… 너—

다시 뉴욕에 왔지. 의사는 비행기 안 타는 게 좋겠다고 했는데, 그냥 왔어.

그게 아니라—

첫 부분을 빼먹었다고?

왜 말 안 했어?

'문자와 음성 메시지를 700개나 받았는데 왜 답장을 안 했을까?' 라는 뜻이지?

앗, 당연한 소리를. 그렇지만 내 인생이 원래…

…그런걸.

그래서, 어때?

너무너무 축하해!

MJ 있었으면 축하도 제대로 못 하고 엄청나게 혼났을 텐데, 다행인 줄 알아.

비행기 타는 게 위험해도, 이런 걸 어떻게 놓치냐고 내가 고집부렸지.

살면서 이렇게 큰일을 맡아 본 적 없으니까. 탐사 보도의 원조인 뷰글이 아직 안 죽었다는 걸 증명할 좋은 기회야.

좋네. 근데 기분 나쁘게 하려는 건 아니거든? 혹시—

더 말해 줄 수 있냐고?

사실 너랑 얘기하고 싶었던 게 이 뒷얘기야.

근데 약속 먼저 해. 이 얘긴 너랑 나 사이만 알고, 메리 제인한테도 말하면 안 돼.

진짜 최고 라니까.

하지만 베티가 너무나 행복한 표정으로 내 손을 잡는 순간, 나는 알았다. 전혀 그런 게 아니란 걸.

이보다 더 나쁠 수 없는 일이란 걸.

네드 이야기야.

'네드는 몇 년 전에 죽었는데, 베티가 망상에 빠졌구나'라고 생각하겠지.

아니, 전혀 그렇게 생각 안 해.

클론들이 전부 죽었을 때,
베티에겐 알리지 않는 편이
좋겠다고 스스로 합리화했지.

네드를 잃는 고통을 또
겪지 않는 게 좋을 거라고.

그런데 네드가
살아 있었어. 내가 우연히
마주쳤거든.

*몇 달 전, 태스크마스터,
블랙 앤트와 싸우는 동안 공격에
휘말려 살해당하고 말았지만.

그때도 그 사실은
나 혼자 조용히 간직하는 게
좋다고 판단했어.

네드 소식이 베티 귀에
들어갈 가능성을 생각 안 했으니,
두 사람이 만났으리란
계산은 전혀….

네드가 경고까지
해 줬는데,
이 멍청아!

아니, 지금 무슨
말인지 모르고 있어—
베타— 베티를—
베티….

*「어메이징 스파이더맨:
프레시 스타트」 Vol. 2.

SLAM

계속!

거짓말하지 마라!
정말 날 도울 생각이면
이딴 감방에 가두지
않았겠지.

여긴 감방이
아니야.

가고 싶은 곳은
아무 데나 가도 좋아.

SHUUUKKK

사실, 갈 데가
몇 곳 있긴 해.

자, 그럼 제안을 하지,
닥터 옥토퍼스.

네가 잃은 모든 걸
되돌리고, 널 다시
완전한 상태로
만들어 줄게.

남은 인생을 향해
나아갈 수 있도록 말이야.
대신 네가 해 줘야 할
일이 있어.

일단은 친구를
다섯 명 더 구하는
것부터 시작하자고.

에서 계속!

#67 SINISTER VILLAINS OF SPIDER-MAN VARIANT BY JAVIER GARRÓN & DAVID CURIEL

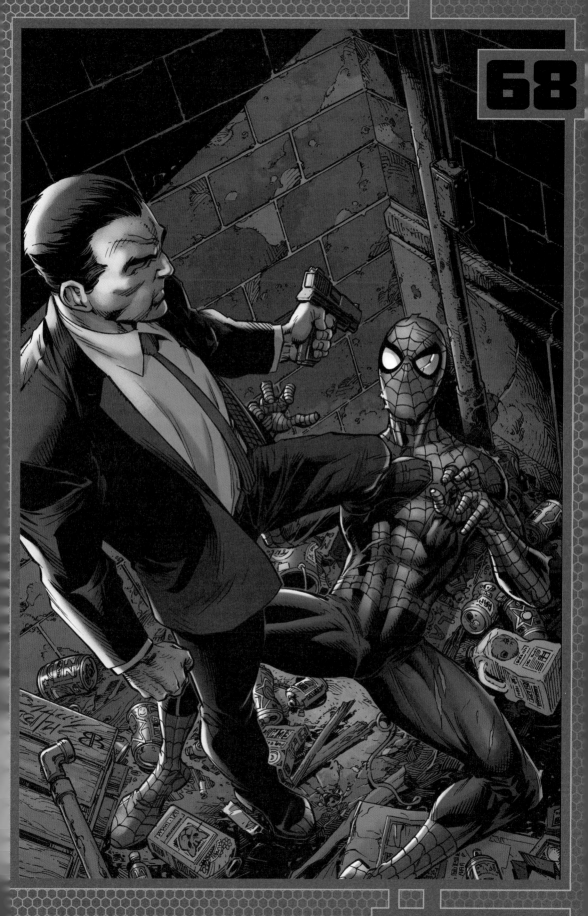

68

카멜레온 컨스피러시 2부

"이 얘긴 전에 조금 했었지. 내가 엄청나게 큰 건을 조사 중이었다고."

"모스크바를 중심으로 대규모 허위 정보 공격을 일으켜 세계 각국 미디어에 침투, 영향을 주겠다는 작전이었어."

ExT::\ MESSAGE involuAIP

말할 것이 있습니다

"그때 내 정보원이 나타나서…"

"…모든 걸 폭로했지."

"작전 전체 윤곽을 보여 주는 문서와, 이체 기록 수천 장을 받았는데…"

"증거가 전혀 안 나와서 애먹고 있었는데… 포리너가 엮인 거래 몇 건으로 들어가는 현금 흐름을 발견한 거야."

"…규모가 생각보다 훨씬 컸어."

"정보를 모두 검토하니, 포리너가 뭘 소유한 건지 알게 됐어. 이걸 크게 폭로할 수 있으면 뷰글의 복귀를 제대로 선포할 수 있다고 판단했지만…"

"…그전에 정보원의 신뢰도를 확인해야 했어."

"고민에 고민을 거듭하다 용기를 내서…"

user::\

직접 만나죠.

"그 뒷이야기는
말 안 해도…"

…알겠지?

예전 삶으로
돌아갈 길을 그렇게
찾아 헤맨 끝에…

…드디어
새 삶을 시작할 수
있게 됐어.

제이미, 왜 그러냐?!

죄송해요, 교수님. 저 급한 일이… 화장실 좀 갈게요!

여기서부턴 제대로 된 작전이 있어야 할걸. 금방 카드 키 없어진 걸 알아채실 텐데, 교수님은 거대 괴물이라고.

괜찮다니까. 그 앞이니까 얼른 가기나 해.

정말 미래를 볼 수 있나 보구만. 그 화장실로 들어가. 우린 기다리면서 외부 지원을 할게.

슬라이드, 제이미, 서로—

안 망치는 게 좋을 거야.

처음 고용할 때 분명 말했지, 포러너. 이 작전에 일반인은 방해된다고—

*"전에 리썰 리전이 훔치려고 한 뒤론…"

*「어메이징 스파이더맨: 신즈 라이징」 Vol. 1 참조!

방해? 쓸 수 있는 패는 다 써야 할걸.

"…카탈리스트 주변에 갈 수조차 없게 됐단 말이야."

여기서부터 팀워크가 필요해, 친구들.

혼자서는 불가능할지 모르지만…

…적당히 주의만 끌어 주면 문제없어.

BLOOP

워, 워. 실내 온도가 왜 이 모양이에요?

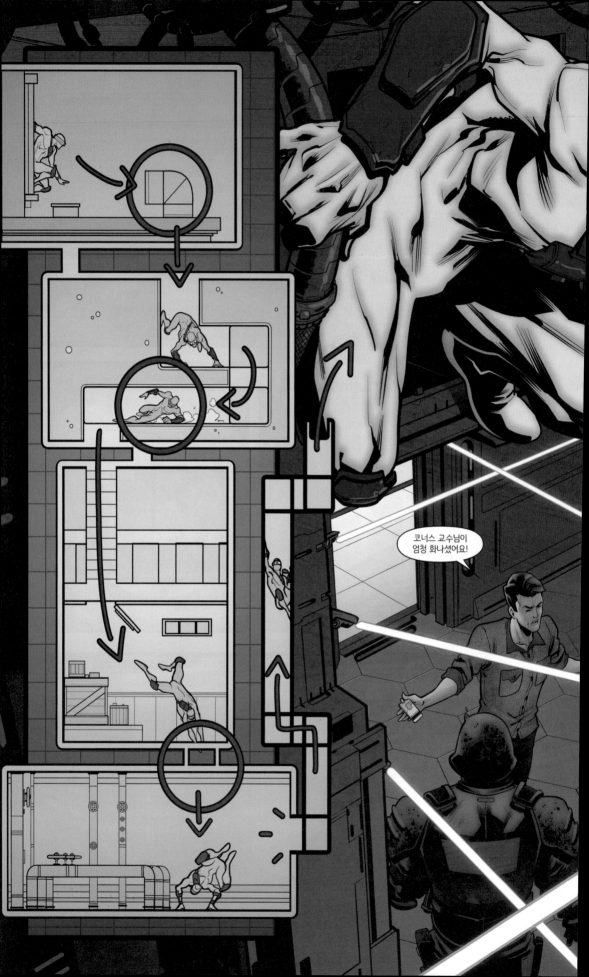

"여기가 전부
날아가 버린다고요!"

잘했어,
톨렌티노.

이제 우리
최고 고객한테 빌린
핌 입자 총을 쓰고…

…물건 챙긴
다음 선물 하나 남겨 주면
끝이야.

박사… 학생을
찾고 있는데….
제이미라고.

스스스파이더맨?
제이미라면 방금
여기 있다 나갔어.

다음은 빠져나갈 때까지
시간 벌어 줄 가짜를
놓는 거지.

이제 빨리
나가!

여러분, 됐어요. 그냥
못 들은 걸로 하세요.
어차피 교수님은 냉혈
동물이니까요. 아마 혼자
착각하신 거겠죠—

혼자 있는 건
좋지 않아.

금방 흘러가긴
하겠지만.

누구에게나
친구는 있어야 해.
몸을 숨겼을 때나…

…후회에
파묻혀 있을 때
찾아와 줄 친구.

우리 자신의 진짜 모습이
어떤지 말해 주고…

69

포리너랑 찬스가 어느
'스파이더맨의 케케묵은 적들'
창고에서 슬라이드를
꺼내 온 걸까?

잡았다!

이 녀석은 원래 화학 공학자인데, 엄청나게
미끄러운 슈트를 입고 도둑이 됐어. 그놈이
아니면 잠입 경찰이었다가 누군지 쥐뿔 알지도
못하는 사람 때문에 나한테 원한을 품게 된
다른 슬라이드겠지. 그 녀석도 똑같이
엄청나게 미끄러운 슈트를 입긴 했지만.

잡고 있어!

찬스 녀석, 지난번엔
한 대만 패 달라고
사정을 하더니.

자, 네가 잡고
있지 그래?

잘 잡아 보렴.

취향으로 사람 깎아내리고
싶진 않은데, 만약 이게 저 녀석의
이상한 역할 놀이 때문이라면…

…문제가 좀 있지.

제이미…

…도망쳐!

포리너…

…너 학교 다니는 애들이랑 쌈박질하러 나온 거, 실버 세이블도 아나?

THWIP

스파이더맨, 세이블한텐 얘기 안 할 거야.

세이블이 실망할 거란 점은 분명히 알아 둬.

WFFF

일진 좋아하는 사람은 없거든.

계속!

#68 SINISTER VILLAINS OF SPIDER-MAN VARIANT BY LEINIL FRANCIS YU & SUNNY GHO

#69 SINISTER VILLAINS OF SPIDER-MAN VARIANT BY GERALD PAREL

GIANT-SIZE AMAZING SPIDER-MAN: CHAMELEON CONSPIRACY SINISTER VILLAINS OF SPIDER-MAN VARIANT BY RYAN STEGMAN, JP MAYER & ALEJANDRO SÁNCHEZ

"외모와 속임수를 논하던 곳."

잭 오랜턴들은 네 명령을 듣는 걸로 아는데….

어이, 나도 깜짝 놀랐다고.

의심스럽군.

SHOOM

이건 너 때문에 생긴 일이야. 근데 왜 내가 정리해야 하지?

알았어, 알았다고.

호박 머리가 말하면 다 믿어 주던 시절이 그립구만.

KRAM

어쩌다 신뢰가 없어진 세상이 된 거지?!

찬스…

...클레어보이언트랑
카탈리스트는
어떻게 됐지?

눈앞에
있어.

SHRAK

떨어뜨리기만
해 봐라!

그럼 너도 쓸모
없어지는 거야….

카멜레온한테도
마찬가지겠지.

더는…
버틸 수가…

자,
이제 내 손에
죽든가…

...아니면 날 도와서
이걸 다시 비행선으로
올리든가. 그럼 조금은
더 살 수 있겠지.

어쩔래?

거짓말이야.
날 속이려고—

그럴 수도
있어.

난
내가 누군지 알아.
다 봤어.

*" 사진으로
다 봤다고."

*닉 퓨리의 도움으로 이 사진을 찾았었죠!
「피터 파커: 스펙태큘러 스파이더맨」
Vol. 2 참조.

Mommy + Jer

헤헤. 어머니랑 찍은
사진 말인가. 그거 하나면
든 게 증명되긴 하지. 우연히
찾은 사진이니 분명 진짜가
틀림없겠지?

근데, 카멜레온은
자기 역할에 녹아들거든.
자기가 카멜레온인지도 모른 채
입력된 역할을 충실하게
믿으며 살아.

그 사진을 네가
직접 갖다 놓고 나중에
'발견'한 걸 수도
있잖아?

아니면
'누군가'가 도와
줬을지도 모르고.

아냐,
불가능해!

그래, 그건
맞는 말이야.
진실을 찾는 건
불가능하지….

넌 내 모든 걸
앗아 갔어, 포리너.

너 때문에 숨어
살아야 했고, 아내에게조차
살아 있다고
말할 수 없었어.

…끄으윽…
제발… 그만해…

긴 세월 동안
이 순간만을 기다렸다.

네 눈동자에서
생명이 사라지는 순간을
내려다보려고—

네드!

THWIP

끝났어요.

당장
나가야 해요.

스파이더맨…?

세상에,
내가 무슨 짓을?

서둘러야 해요. 클레어보이언트로 확인해 보니…

…맨해튼에 그대로 떨어져서 우릴 포함해 수천 명이 죽는 결과 투성이였어요.

막을 수 있는 확률은 아주 낮아요.

아예 없는 것보단 낫지.

그나저나 네드, 제이미, 서로 인사나 해요. 가끔 브런치나 같이 먹을 만큼 오래 살 것 같으니까.

클레어보이언트를 전력망에 연결할 수 있으면 딱 충돌을 면할 정도로 출력을 올릴 수 있을 거예요.

누군가 조종석에서 방향을 틀어야 하지만요.

여긴 제가 맡을 테니 당신이 가세요, 스파이디.

살면서 비행 카지노는 한 번도 안 몰아 본 제가 가는 게 좋긴 하겠죠.

제대로 알고 하는 게 맞으면 좋겠구나.

그러게요…

됐다!

잘했어!

SHOOOM

"제발 늦지
않았어야 할 텐데."

제바아아아아알…

…추락하지
마라추락하지마라추락
하지마라.

이 위협 덩어리가?!
내 수국이 삐끗하기만
해 봐. 쫓아가서
염병 치르게 할 거야!

TAP

SWOOSH

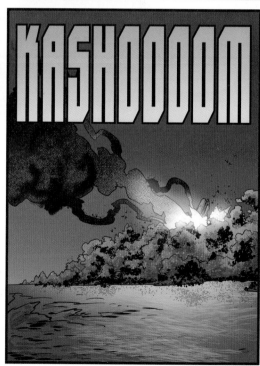

KASHOOOOM

…난 이걸 누구한테 맡기지?

꽤 기분 좋으시겠네요.

놓친 녀석들까지 싹 다 잡았으면 더 좋았겠죠.

포러너 패거리 말이에요.

네, 이해해요. 복수, 정의, 전부 다요. 정말 중요하죠.

근데 지금 당신을 기다리는 사람보단 덜 중요할 거예요.

솔직히 진짜로 네드가 살아 돌아왔다는 걸 믿기는 쉽지 않아.

내 인생에 그런 일은 의심스러울 만큼 행복한 일이니까.

클레어보이언트를 넘길 수 있을 만큼 네드를 믿는다 해도, 네드는 이미 힘겨운 일을 많이 겪었잖아. 그냥 평화롭게 보내 주자. 그리고 마침…

훨씬 적당한 사람을 알고 있으니까.

테레사!

안녕, 피트. 늦어서 미안.

해야 할 일이 있었거든.

괜찮아. 근데 정말 괜찮겠어? 이걸 안전하게 숨길 수 있는 스파이 여동생이 갑자기 떠올라서 말이지.

응, 다 생각이 있어.

좋다, 잘됐네. 그럼 또 바쁘다면서 휙 가 버릴 차례—

피트…

…사랑해, 오빠.

응?

카멜레온을 감방에 그냥 두고 왔다. 그 녀석도 도망칠 이유가 없다고 했고.

당장 돌아가서…